신기한 스쿨 버스

허리케인에 휘말리다

신기한 스쿨 버스

The Magic School Bus® – Inside a Hurricane

허리케인에 휘말리다

조애너 콜 글 · 브루스 디건 그림 / 이강환 옮김

비룡소

이 책을 준비하는 데에 도움을 주신
국립 허리케인 연구소 소장 로버트 쉬츠 박사님과
미국 델라웨어 주 기상 담당관이신 델라웨어 대학교의 다니엘 레더스 박사님께 감사드립니다.

신기한 스쿨 버스
허리케인에 휘말리다

1판 1쇄 펴냄―1999년 12월 10일, 1판 15쇄 펴냄―2004년 2월 2일
글쓴이 조애너 콜 그린이 브루스 디건 옮긴이 이강환 펴낸이 박상희
펴낸곳 (주)비룡소 출판등록 1994. 3. 17.(제16-849호)
주소 135-887 서울시 강남구 신사동 506 강남출판문화센터 4층
전화 영업(통신판매) 515-2000(내선 1) 팩스 515-2007 편집 3443-4318~9
홈페이지 www.bir.co.kr

값 7,500원

ISBN 89-491-3052-1 74400
ISBN 89-491-3045-9 (세트)

신기한 스쿨 버스를 책으로 만들어 주신

피비 선생님께 감사드리며

―조애너와 브루스 디건이

여기서 잠깐!

여러분, 해마다 여름이면 텔레비전에서
'태풍'에 관한 뉴스를 들은 적이 있죠?
그 때의 태풍과 이 책에 나오는 '허리케인'은 같은 기상 현상입니다.
적도 부근의 열대 바다에서 발생하는 저기압으로,
최대 풍속이 초당 17미터 이상인 것을
아시아에서는 태풍, 미국에서는 허리케인이라고 합니다.
따라서 여러분은 지금 태풍에 대해 공부한다고 생각해도 좋습니다.

요즈음 우리는 날씨를 공부하고 있어요.
교실 안은 온통
비, 눈, 태양, 바람에 관한 것들로 가득 찼죠.
반 아이들은 모두 날씨 공부를 하고 있어요.
심지어 우리는 프리즐 선생님 라디오로 일기예보도
듣는답니다.

전에 다니던 학교에서는 이런 숙제를 해 본 적이 없어.

전에 다니던 학교에는 저런 옷을 입은 선생님이 안 계셨어.

오늘의 산수

$\text{☃} + \text{☃} + \text{☃} = ?$

받아쓰기 공부

태양	바람
비	눈
이슬비	진눈깨비
우박	허리케인
잊지	말고
우산을	챙기세요

풍력계
바람의 세기와
속도를 재는 기구

지금부터 일기예보를
보내드리겠습니다.

눈송이 모양
—마이클과 키샤

알기 쉬운
일기예보

웨더 맨

풍향계

그리고 바람들

우박

비 더

웨더맨의 모험

웨더맨 폭풍과 맞서다

웨더맨 스노우맨을 만나다

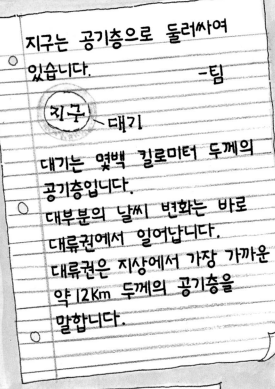

지구는 공기층으로 둘러싸여
있습니다.　　　　-팀

(지구)～대기

대기는 몇백 킬로미터 두께의
공기층입니다.
대부분의 날씨 변화는 바로
대류권에서 일어납니다.
대류권은 지상에서 가장 가까운
약 12km 두께의 공기층을
말합니다.

그래서 어느 날 아침 프리즐 선생님께서
"오늘은 기상대에 가기에 정말 좋은 날씨예요!" 하고
말씀하셨을 때, 우리들은 전혀 놀라지 않았답니다.

여러분들은 오늘
기상예보관들을 만날 거예요.
그리고 대기에 대해서
배울 거예요.

프리즐 선생님께서 날씨를 이해하려면
먼저 공기에 대해 알아야 한다고
말씀하셨어.

또 물에 대해서도
알아야 한대.

난 아무것도
안 보이는데.

	열 권
110+	
80	중 간 권
50	성 층 권
12	대 류 권
0	지 상

높이 km

대기권

대부분의 날씨 변화가
일어나는 곳

공기는 보이지 않는
기체들이 섞여 있는
것입니다.　　-켈리

공기는 무게를 가지고
있습니다.　　-랠프

공기를 불어넣은 풍선은
그냥 풍선보다 무겁습니다.

공기에는 물이 들어 있습니다.
　　　　　-완다

하루	이틀	사흘

물이 증발하면 물 분자는
공기 속으로 들어갑니다.

그 때 갑자기 도로시 앤이 소리쳤어요. "저것 봐!"
우리는 믿을 수가 없었죠. 모두 비행복을 입고 있는
거예요. 게다가 커다란 바구니 안에 앉아 있었답니다!
어느 새 버스는 커다란 열기구로 바뀌어 있었고,
공중으로 붕~ 떠오르고 있었어요!

전에 다니던
학교에서는
이런 걸 타본 적이
없어.

그 학교는 웬지
내 취향인걸.

기구 속의 공기를
데우기 위해
가스 버너에
불을 붙이겠어요.

열은 공기를 팽창시킵니다.
— 몰리
뜨거운 공기는 팽창합니다.
왜냐하면 열이 공기 분자들을
멀리 떨어뜨리기 때문입니다.

1
풍 선
공기
상 온

공기가 팽창하여
풍선으로 흘러들어
간다.

2
뜨거운
물이
공기를
데운다.

뜨거운 물을 쓸
때에는 어른들에게
부탁할 것.

날씨에 대한 낱말 공부
— 도로시 앤
팽창한다는 말은
어떤 것이 널리 퍼진다는
뜻입니다.
공기 분자란 공기의 성질을 갖는
가장 작은 알갱이를 말합니다.

뜨거운 공기는 위로 올라갑니다.

— 알렉스와 레이첼

1. 종이를 고등 모양으로 자른다.
2. 바늘을 써서 실을 매단다.

백열 전구가 공기를 데웠어요.

따뜻한 공기가 위로 올라가면서 종이 바람개비를 회전시켜요.

왜 뜨거운 공기는 위로 올라갈까요?

— 카를로스

뜨거운 공기는 차가운 공기보다 가볍습니다. 따라서 뜨거운 공기는 차가운 공기 위로 "떠오릅니다." 마시맬로 과자가 핫 초콜릿 위에서 둥둥 떠다니는 것처럼 말입니다.

우리는 위로 올라가기 시작했어요.
프리즐 선생님께서 말씀하셨어요.
"여러분, 제가 말했죠. 뜨거운 공기는 위로 올라간다고?"

여러분, 매일 전세계의 과학자들이 날씨에 대해 알아 내려고 특수 장치가 달린 기구들을 올려 보내고 있어요.

기상 관측 기구

우리가 뜨고 있어!

와~우!

날씨에 대한 낱말 공부, 하나 더
— 도로시 앤

응결이란 수증기 분자들이
모여서 액체 상태의
물방울이 되는 것을 말합니다.

"위로 올라가면서 따뜻한 공기는
많은 양의 수증기 분자들을 데리고 갑니다."
프리즐 선생님께서 말씀하셨습니다.
"위로 올라갈수록 공기는 점점 차가워집니다.
그러면 물은 공기 중에서 응결되어 구름이 됩니다."

아널드, 비옷은
가지고 왔니?

이런 일은 정말
일어나면 안 되는데…….

우리는 구름 속으로 들어갔습니다.
프리즐 선생님 말씀이 옳았어요. 그 안은 정말 축축했어요.
구름은 공기 중에 있는 작은 물방울들로 만들어졌답니다.

구름 이름 배우기
—완다
1. 갈고리처럼 말려 있는 성긴 구름을 권운이라고 합니다.

2. 계단처럼 층이 져 있는 구름을 층운이라고 합니다.

3. 뚱뚱하게 뭉쳐 있는 구름을 적운이라고 합니다.

그 선생님이 언제 학생들을 데리고 오실까요?

그렇게 늦진 않겠죠.

꽤 늦을걸요.

프리즐 선생님과 아이들 주변에 일고 있는 구름 이름이 뭐게?

기상대

저 아래에는 기상 예보관들이 빗속에 서 있었습니다.
그 분들은 구름 안에 있는 우리를 볼 수 없었지만,
우리는 그들의 목소리를 들을 수 있었죠.
그 때 누군가 이렇게 말했습니다. "선생님께서
허리케인 주의보가 내렸다는 사실을 아셔야 할 텐데."

아널드, 내 허리케인 주의보를 잘 들어. 알았어? 허리케인 주의보 말이야!

나, 귀 막았어. 하나도 안 들려······.

허리케인이란 무엇일까요 ?
— 플로리

허리케인은 가장 힘이 센 폭풍 중의 하나입니다.
허리케인 안에서는 시속 120km 이상의 속도로 바람이 소용돌이치고 있습니다.

허리케인 섬별

날씨에 대한 낱말 공부, 또 하나
— 도로시 앤

허리케인 주의보란 허리케인이 36시간 안에 불어닥친다는 뜻입니다.
허리케인 경보란 허리케인이 24시간 안에 불어닥친다는 뜻입니다.
그러니까 경보가 주의보보다 더 긴급한 상황입니다.

적도란 무엇일까요?
　　　　　　-카를로스

적도는 지구 한가운데를 지나고 있다고 생각되는 상상의 선을 말합니다. 이 선을 기준으로 지구는 남반구와 북반구로 나뉩니다.

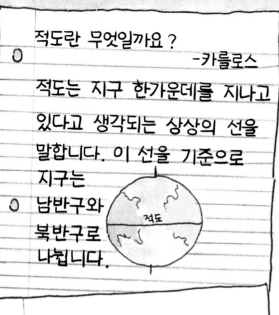

적도 근처는 왜 더 더울까요?
　　　　　　-마이클

지구가 기울어져 있기 때문에 태양 빛은 늘 지구의 중심 부분을 비춥니다. 그러니까 적도 지방에는 겨울이 없습니다.

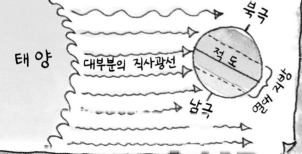

태양　대부분의 직사광선　북극　적도　남극　열대 지방

늘 그랬듯이, 프리즐 선생님께서는 별로 신경 쓰지 않으셨어요. 그 대신에 선생님은 불을 더 세게 올렸습니다. 그러자 더 따뜻한 공기가 풍선 속으로 흘러들어갔습니다. 구름 위로 올라가자 바람이 우리를 남쪽으로 실어가기 시작했죠. 금세 우리는 몇천 킬로미터를 날아갔습니다. 프리즐 선생님께서 말씀하셨어요. "우리는 지금 적도에서 북쪽으로 팔백 킬로미터 정도 떨어진 열대 바다 위에 있어요."

와~우! 저 물 좀 봐!

수영도 할 수 있겠어!

윈드 서핑도!

잠수도 할 수 있겠어!

밑에는 푸른 파도가 물결치고 있었습니다.
모래 섬에는 야자나무들이 바람에 흔들리고 있었죠.
'방학 때 여기에 오면 얼마나 좋을까!'
모두들 그렇게 생각하고 있는데, 프리즐 선생님께서
말씀하셨습니다. "여러분, 방금 우리는
허리케인이 만들어지고 있는 곳에 도착했어요!"

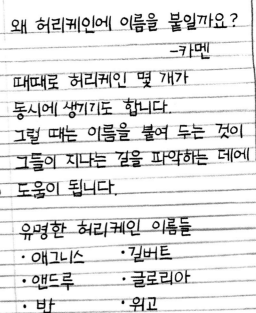

왜 허리케인에 이름을 붙일까요?
—카멘

때때로 허리케인 몇 개가
동시에 생기기도 합니다.
그럴 때는 이름을 붙여 두는 것이
그들이 지나는 길을 파악하는 데에
도움이 됩니다.

유명한 허리케인 이름들
· 애그니스   · 길버트
· 앤드루   · 글로리아
· 밥   · 위고
· 엘레나

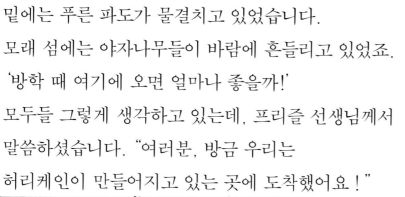

여러분, 허리케인은 대부분
따뜻한 열대 바다에서 생겨나요.

허리케인은
위험하다는데.

그러니까 이번엔 우릴
허리케인 속으로 데려가실 거야.

맞아, 그러고도
남을 거야!

안녕, 밥!

웬일이니,
글로리아?

허리케인은
어디에서
생길까요?
—팀

적도 부근의
열대 해상에서
생겨요.

북아메리카

유럽 아시아

아프리카

남아메리카

오스트레일리아

적도

§ 허리케인
← 허리케인의 경로

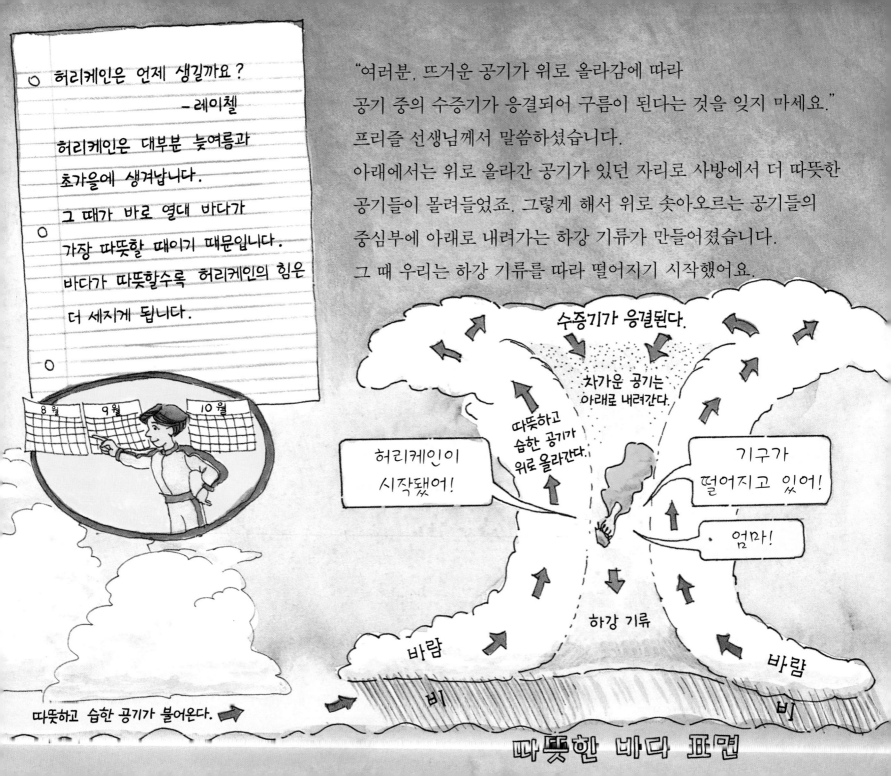

허리케인은 언제 생길까요?
－레이첼

허리케인은 대부분 늦여름과
초가을에 생겨납니다.
그 때가 바로 열대 바다가
가장 따뜻할 때이기 때문입니다.
바다가 따뜻할수록 허리케인의 힘은
더 세지게 됩니다.

"여러분, 뜨거운 공기가 위로 올라감에 따라
공기 중의 수증기가 응결되어 구름이 된다는 것을 잊지 마세요."
프리즐 선생님께서 말씀하셨습니다.
아래에서는 위로 올라간 공기가 있던 자리로 사방에서 더 따뜻한
공기들이 몰려들었죠. 그렇게 해서 위로 솟아오르는 공기들의
중심부에 아래로 내려가는 하강 기류가 만들어졌습니다.
그 때 우리는 하강 기류를 따라 떨어지기 시작했어요.

"저런, 맙소사!" 프리즐 선생님께서 말씀하셨어요.
"풍선에 구멍이 난 것 같아요."
뜨거운 공기가 빠져 나가면서, 풍선은 빠르게 떨어졌습니다.
"뛰어내려요, 여러분!" 프리즐 선생님께서 소리치셨어요.
선생님께서 먼저 뛰어내리셨고, 우리도 뒤이어 뛰어내렸죠.
하지만 곧 우리는 엄청난 실수를 했음을 깨달았답니다.

ㅇ 열대 폭풍은 모두 허리케인이
될까요?
－제인

아닙니다. 세계적으로 일 년에
약 백 개 정도의 열대 폭풍이
생겨납니다. 그 중에서 육십 개
ㅇ 정도만이 허리케인이 될 정도로
센 힘을 갖고 있습니다.
그러나 사람들이 사는 곳까지
ㅇ 이를 정도로 힘이 센 허리케인은
몇 개 안 됩니다.

어서 뛰어내려,
아널드!

눈을 뜰 수가
없어!

여러분, 저를
따라오세요!

허리케인은 왜
소용돌이 모양이 될까요?
— 알렉스

바람은 처음엔 직선으로 붑니다.
그러나 지구가
자전을 하기 때문에
바람은 곧 휘어지게 됩니다.

바람이
휘어진다.

지구의 자전 방향

지축

바람이 빠를수록
더 많이 휘어집니다.
허리케인은 매우 빠르기 때문에
계속 휘어져서
소용돌이 모양이 됩니다.

바람이 불어와 구름을 거대한 소용돌이로 만들었답니다.
"폭풍이 허리케인 모양으로 바뀌고 있어요.
어때요? 멋있지 않나요, 여러분?"
프리즐 선생님께서 소리치셨어요.

살려 줘요!

소용돌이 속으로
빨려 들어가고
있어!

세상이
뱅글뱅글 도네!

그것은 너무 너무 멋있었어요.
한마디로 끝내줬답니다!
우리는 폭풍 가장자리에 붙잡혀서, 거대한 소용돌이 속을
빙글빙글 돌았죠. 그 소용돌이가 바로 허리케인이었어요!

허리케인은 얼마나 클까요?
— 존
허리케인은 엄청나게 큽니다.
높이 15킬로미터 정도에
폭이 500킬로미터에서
1,000킬로미터나 됩니다.

허리케인의 수명은 보통
열흘 정도입니다.

청취자 여러분, 지금부터
우린 허리케인의 모든
것을 알려드리겠습니다.

아마
건전지가 곧
떨어질 거야.

허리케인 속 우리의 위치

번개는 전기입니다.
— 랠프

구름은 전기를 띠고 있습니다.
전압이 충분히 높아지면
전기는 한 구름에서 다른 구름으로,
또는 구름과 땅 사이에서
갑자기 흐릅니다. 그 때 우리는
번개를 볼 수 있습니다.

번개는 뜨거워요!
— 키샤

번개의 온도는
섭씨 약 30,000도에 이릅니다.
그것은 태양 표면의 온도보다
다섯 배나 높은 온도입니다.

우리를 둘러싼 구름 속에는
엄청난 전압의 번개가 번쩍거리고 있었습니다.
이제 우리는 다 죽었다고 생각하고 있을 때
갑자기 버스가 다시 나타났어요. 어느 새 버스는
허리케인 속을 탐험할 수 있는 기상 비행기로 바뀌어
있었답니다. 우리는 구조 미끄럼틀로 굴러 들어가
비행기 안으로 떨어졌어요. 그러니까…… 버스……,
아니…… 비행기 말이에요.

주위에는 온통 뜨거운 탑 또는 굴뚝이라고
부르는 공기 기둥이었어요.
그 곳은 바다로부터 뜨겁고 습한 공기를
계속해서 빨아올리는 곳이죠.
뜨거운 공기에서 열 에너지를 흡수해서
폭풍은 더욱더 힘이 세집니다.
비행기가 심하게 흔들렸어요.
우리라고 별 수 있나요. 따라서 흔들렸죠!

허리케인의 눈 속은 고요합니다.
―카를로스
허리케인의 거센 회오리바람도
폭풍 중심에는 들어오지
못합니다.

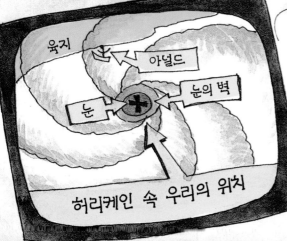

육지

아널드

눈의 벽

눈

허리케인 속 우리의 위치

그러더니 갑자기 모든 것이 조용해졌어요.
"여러분, 우리들은 이제 허리케인의 눈, 그러니까
허리케인의 중심에 들어왔어요!"
프리즐 선생님께서 말씀하셨어요.
바다에서는 계속 큰 파도가 치고 있었고, 저 밖에서는
아직도 거센 바람이 불고 있었죠.
하지만 허리케인의 눈에서는 잔잔한 산들바람만이 불었어요.
머리 위로는 푸른 하늘이 보였고, 태양이 빛나고 있었답니다.
그래서 우리는 모두 신이 나기 시작했어요.

우리는 허리케인의 눈을 가로질러
오십 킬로미터 정도 날아갔어요.
그 때 프리즐 선생님께서 말씀하셨습니다.
"자, 이제 반대쪽 눈의 벽으로 들어갑니다."
"가지 마세요!" 우리는 모두 소리쳤어요.
하지만 비행기는 이미 제 갈 길로 가고
있었죠. 우리는 다시 허리케인의 거센
비바람 속으로 들어가고 말았답니다.

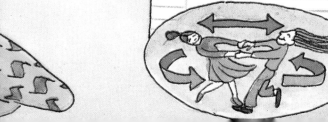

왜 허리케인의 눈에서는
바람이 불지 않을까요? - 셜리

바람은 폭풍의 눈 쪽으로 빨려들면서
회전합니다. 그러나 결코 그 속으로
들어가지는 못 합니다. 들어가려는
힘과 같은 크기의 힘이 바람을
바깥으로 밀어 내기 때문입니다.
마치 두 사람이 손을 잡고 회전할 때
서로 같은 힘으로 상대를 밀어 내는
것처럼 말입니다.

허리케인이 완전히
다가오기 전에
육지로 가야 해!

아무렴
그래야죠!

허리케인이 육지로
다가가고 있습니다.
해변을 따라 커다란
파도가 몰아칠
것입니다.

허리케인은 어떻게 움직일까요?
　　　　　　　　　　　　　　　-완다

처음 생겨났을 때 허리케인은
한 시간에 15-30km 정도로
느리게 나아갑니다.
그러나 북쪽으로 갈수록 점점 빨라져서
허리케인은 한 시간에 100km까지
나아갑니다.
허리케인은 하루에 몇백 킬로미터를
움직일 수 있습니다.

속도 40 제한

허리케인에서는 어느 부분이 가장
힘이 셀까요?
　　　　　　　　　　　　　-플로리

오른쪽 앞이 가장 힘이 셉니다.
왜냐하면 바람의 회전 방향이
직접 해변을 향하기 때문입니다.
거기에다 허리케인 진행 방향의
힘까지 합쳐서서 더욱 파괴력이
커집니다.

허리케인은 바다를 가로질러 육지를 향하고 있었고,
우리도 함께 실려 가고 있었죠!
"바다 쪽에서 바라보았을 때, 허리케인의 오른쪽 앞쪽
방향이 가장 바람이 세고, 비도 많이 오고, 파도도
높습니다." 프리즐 선생님께서 힘주어 말씀하셨습니다.
그러고는 바로 그 방향으로 비행기를 몰아 가셨어요.
당연하죠, 뭐.

허리케인이 마루
위에서 도는
팽이처럼
움직이는군.

허리케인은 두
방향으로 움직여.

빙글빙글
돌고……,

…… 그러고 나서,
앞으로 나가니까.

가장 큰 피해를 당하는 곳

육지

눈

폭풍의
오른쪽 앞

오른쪽 뒤

폭풍의
왼쪽 앞

왼쪽 뒤

앞으로

폭풍의 운동 방향

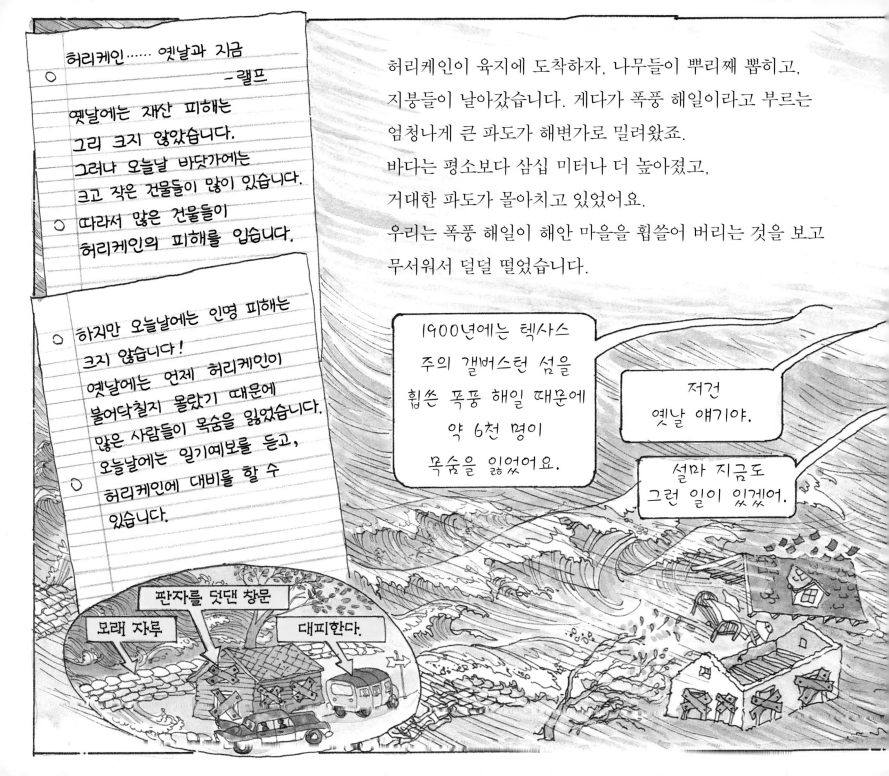

허리케인…… 옛날과 지금
— 랠프

옛날에는 재산 피해는
그리 크지 않았습니다.
그러나 오늘날 바닷가에는
크고 작은 건물들이 많이 있습니다.
따라서 많은 건물들이
허리케인의 피해를 입습니다.

하지만 오늘날에는 인명 피해는
크지 않습니다!
옛날에는 언제 허리케인이
불어닥칠지 몰랐기 때문에
많은 사람들이 목숨을 잃었습니다.
오늘날에는 일기예보를 듣고,
허리케인에 대비를 할 수
있습니다.

모래 자루

판자를 덧댄 창문

대피한다.

허리케인이 육지에 도착하자, 나무들이 뿌리째 뽑히고,
지붕들이 날아갔습니다. 게다가 폭풍 해일이라고 부르는
엄청나게 큰 파도가 해변가로 밀려왔죠.
바다는 평소보다 삼십 미터나 더 높아졌고,
거대한 파도가 몰아치고 있었어요.
우리는 폭풍 해일이 해안 마을을 휩쓸어 버리는 것을 보고
무서워서 덜덜 떨었습니다.

1900년에는 텍사스
주의 갤버스턴 섬을
휩쓴 폭풍 해일 때문에
약 6천 명이
목숨을 잃었어요.

저건
옛날 얘기야.

설마 지금도
그런 일이 있겠어.

하지만 제일 무서웠던 것은 성난 파도를 뚫고 들려오는 프리즐 선생님의 다급한 외침이었죠.

"애들아, 연료가 다 떨어져 가고 있어!"

선생님 말씀은 정말이었어요. 비행기가 점점 아래로 떨어지고 있었으니까요.

물 속으로 떨어지면서 우리는 아널드가 지붕 위에서 손을 흔들고 있는 것을 보았어요.

어딘지 많이 본 듯한 아이인걸.

어딘지 많이 본 듯한 비행기 같은데.

오늘날에는 일기예보로 생명을 구할 수 있대.

아널드, 지금 당장 대피해야 해!

마이에미 식당

위험! 연료 고갈

맛있는 아이스 바

토네이도란 무엇일까요?
- 아널드

토네이도란 천둥구름과 잇달아 있는 깔때기 모양의 회오리바람을 말합니다.

어쨌든 허리케인이 일으킨 엄청난 파도가 덮치기 전에 아널드는 겨우겨우 비행기에 올라탔어요.
바닷물은 창문 위로 넘실대었고, 비행기는 곧 가라앉을 것 같았죠!
그 순간 우리는 멀리서 깔때기 구름이 다가오는 것을 보았어요.

"난 저렇게 생긴 걸 텔레비전에서 본 적이 있어."
랩프가 말했어요.
"난 책에서 읽었어!" 키샤도 말했죠.
토네이도는 똑바로 우리 쪽으로 오고 있었습니다.
그리고, 맙소사, 토네이도가 우리를 번쩍~ 하고 들어올렸어요.
우리는 꼼짝없이 토네이도를 타고 움직이게 된 거예요 !

○ 토네이도와 허리케인은 같은 것일까요?
　　　　　　　　　　　　　　-필
같기도 하고 다르기도 합니다.
토네이도와 허리케인은 모두
회오리바람입니다. 하지만 토네이도는,
1. 허리케인보다 훨씬 더 작습니다.
2. 대부분의 경우에 바람이 더 빠르게
　붑니다.
3. 지나는 길 위에 있는 거의 모든 것을
　부수어 버립니다.

토네이도는 시속 300~500 km의
회오리바람을 일으킬 수 있습니다.

여러분, 보통
토네이도는 육지에
올라온 허리케인의 끝
부분에서 생깁니다.

토네이도의 수명은
보통 아주 짧습니다.
겨우 몇 분밖에 안 됩니다.

내 수명도 몇 분밖에
안 남은 것 같아.

토네이도가 정말로
물건을 옮길 수 있을까요?
— 키샤

그렇습니다! 토네이도는 엄청나게 큰
진공 청소기입니다. 토네이도는 먼지,
쓰레기 같은 작은 것들은 물론이고,
집, 차, 나무, 기차 등과 같은
큰 물건들도 들어올립니다!
한번은 토네이도가 달걀 한 상자를
들어올려 몇 킬로미터 밖에다 내려놓은
적이 있었습니다. 하지만 달걀은
하나도 깨지지 않았습니다!

잠시 후, 우리는 몸이 흔들리는 것을 느끼고는
주위를 둘러보았습니다.
토네이도가 우리를 땅 위에 가볍게 내려놓았어요.
어느 새 우리는 다시 고물 스쿨 버스에 타고 있었죠.
옷도 원래대로 입고 있었어요.
허리케인은 사라졌고, 우리는 주유소에 있었답니다.

보통 토네이도가 들어올린 물건들은
산산이 부서집니다…….

하지만 늘 그렇지는
않아요.

고마워라!

꼬꼬댁 꼬꼬
달걀

깨지지 않습니다.
꽥꽥대지 않습니다.

특수 가스

마법 가스

일반 가스

특수 가스

마법 가스

프리즐 선생님께서는 연료를 채우신 후
마치 아무 일도 없었다는 듯이
스쿨 버스를 운전하셨습니다.
"여러분, 아까 말한 대로 우린 지금
기상대로 가는 중입니다." 선생님께서 말씀하셨어요.

기상대

기상 예보관 아저씨들은 우리한테
허리케인에 대한 많은 이야기를 해 주셨습니다.
우리도 역시 그 분들께 많은 얘기를 해 주었죠!

허리케인은 바람개비
모양으로 뿜니다.
왜냐하면……

지구의 자전 때문이죠.

대단한데…… 맞았어요……

허리케인,
당신은
준비되었는가?

허리케인,
생길 때부터
사라질 때까지

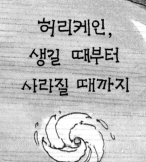

1. 뜨거운 공기가
적도 근처의 열대 바다에서
솟아오른다.
2. 천둥구름이 만들어진다.

3. 바람이 폭풍의
눈을 중심으로 회전하기
시작한다.

4. 쏙쑹이 움직인다.

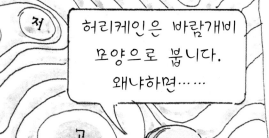

이렇게 해서 견학은 모두 끝나고, 우리는 마음껏 놀고 싶어졌어요.
프리즐 선생님께서는 파티를 열어도 좋다고 하셨습니다.
우리는 재미있는 놀이도 하고, 춤도 실컷 추고, 맛있는 과자도 먹었죠.
너무 신나서 우리는 프리즐 선생님께서 다음엔 어디로 데려 가실까
하는 걱정을 다 잊어버리고 말았어요.

신기한 스쿨 버스 편지함

편지들…… 우리가 받은 편지들

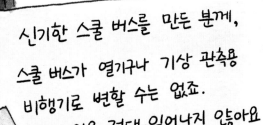

우체통

신기한 스쿨 버스를 만든 분께,

스쿨 버스가 열기구나 기상 관측용
비행기로 변할 수는 없죠.
그런 일은 절대 일어나지 않아요.

　　　　　－당신의 친구 샘이

해뜨는 풍경
뉴저지 주, 이스트 오렌지

**브루클린의
저녁 하늘**

판매용

조애너 씨께,
라디오가 사람과
이야기를 할 순
없어요.

　　－바바라

To: 이 책의 글쓴이
조애너 콜 씨께

조애너 선생님과
　　브루스 선생님께,
허리케인에 대해 책을 읽는
것은 재미있을지 모르지만,
허리케인 안에 들어가는 건
전혀 그렇지 않아요.
저희 가족들이 허리케인
앤드류 속에 있어 보아서
잘 알아요. 정말 무서웠어요.

　　　　　－케이스

브루스 씨께,
라디오는
춤을 안 춰요.
　　　　－진

To: 이 책의 그린이
브루스 디건 씨께

아널드에게,
이번에 네가 본
허리케인은 육지로 상륙했지.
하지만 대부분의 허리케인은
먼 바다를 향하기 때문에
인명이나 재산을 해치지 않는단다.

　　　　　－네 친구, 기상학자 앨

강력한 허리케인 속에서
작은 고기잡이 배가 무사할 리
없겠죠.

　　　　　－해양 경찰대

브루스 씨께,
아널드가 정말로 그렇게
높은 데에서 바다로 떨어졌다면,
반드시 병원에 가야 합니다!
　　　　　　　－주치의로부터

조애너에게,
　프리즐 선생님 반의 견학에서
일어나는 일들은 아이들에게 너무 위험해.
제발 다음 번에는 아이들이 집에 있도록
해 주기 바란다.
　　　　　　　　－엄마가

코네티컷의
겨울

프리즐 선생님께,
선생님 반의 학생들은
피비가 전에 다니던 학교로
전학 가야 한다고 생각합니다.

　－"훨씬 더 안전한" 학교에
다니는 학생들

버뱅크의 달밤

독자 여러분께,
이 책에서 일어나는 몇 가지 일들은
꾸며 낸 것입니다.
하지만 과학에 대한 것들은
모두 사실입니다.
　　　　　　－조애너와 브루스

허리케인 조애너는 1968년 8월에 여드레 동안 서태평양을 지나갔다.

진짜 조애너, 글쓴이 조애너 콜은 워싱턴 포스트지의 어린이 도서 협회에서 주는

논픽션 상과 어린이 책에 기여한 공로로 데이비드 맥코드 문학상을 받았다.

허리케인 브루스는 아직 없었다. 그러나 그림을 그린 브루스 디건은

기상 현상에서 재미있고 아름다운 것들을 찾아냈다.

30여 권 이상의 어린이책에 그림을 그린 그의 대표작으로는

「제시 베어」 시리즈와 『잼베리』가 있다.

옮긴이 이강환은 서울대학교 천문학과 대학원의 박사 과정에 다니고 있다.

신기한 스쿨 버스